Dis-nous,
dino…

Des romans à lire à deux,
pour les premiers pas en lecture!

La collection Premières Lectures accompagne
les enfants qui apprennent à lire. Chaque roman
peut être lu à deux voix : l'enfant lit les bulles et
un lecteur confirmé lit le reste de l'histoire.

Cette collection a trois niveaux :

JE DÉCHIFFRE les bulles peuvent être lues par l'enfant
qui débute en lecture.

JE COMMENCE À LIRE les bulles peuvent être lues
par l'enfant qui sait lire les mots simples.

JE LIS COMME UN GRAND les bulles peuvent être lues
par l'enfant qui sait lire tous les mots.

Quand l'enfant sait lire seul, il peut lire les romans en entier,
comme un grand !

Un concept original **+** des histoires simples **+** des sujets
qui passionnent les enfants **+** des illustrations :
des romans parfaits pour débuter en lecture avec plaisir!

**Cette histoire a été testée par Sophie Dubern, enseignante,
et des enfants de CP.**

L'orthographe rectifiée, qui fait désormais référence
dans les programmes scolaires, est appliquée dans cet ouvrage.

Dis-nous,
dino…

TEXTE DE DIDIER LÉVY
ILLUSTRÉ PAR ANAÏS MASSINI

Aujourd'hui, Mona s'ennuie.

Soudain, elle a une idée :

Et si j'allais
au grenier ?

Elle monte l'escalier quatre à quatre.
Sous ses pieds, les marches
font joyeusement :

Cric! Crac!
Cric! Crac!

Tout d'un coup, Mona entend
une grosse voix qui bougonne :

Zut,
une visite !

Curieuse comme tout, Mona
s'approche... Elle aperçoit alors
un drôle de truc vert qui file
dans un coin du grenier.

Hep, toi là!

Le drôle de truc vert
se cache à toute allure
derrière une armoire.
Et il fait comme si
de rien n'était.
Mona demande :

Qui es-tu ?

Le drôle de truc
vert répond :

Personne.

Le drôle de truc vert montre
le bout de son nez et dit:

Je m'appelle Achille.
Je suis un dinosaure.

Mona n'aime pas qu'on la prenne
pour une imbécile.

Les dinosaures
ont disparu
depuis longtemps.
Et puis ils étaient
plus grands!

Achille réplique :

Je me suis fait le plus petit possible.

Mona lève les yeux
au plafond et soupire :

N'importe quoi !
Et pourquoi as-tu
fait ça d'abord ?

Achille baisse piteusement la tête :

Pour me cacher.
Car j'ai honte
d'être aussi âgé.

Mona s'approche
et dit doucement :

Tu es bête
d'avoir honte !
Tu dois savoir
plein de choses.

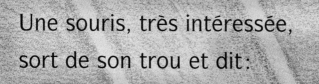

Une souris, très intéressée,
sort de son trou et dit:

C'est vrai,
tu as dû rencontrer
tous mes ancêtres.

18

Un oiseau, qui s'est posé sur le rebord de la fenêtre, ajoute :

Oh oui,
dis-nous comment
c'était avant !

Achille est surpris et flatté.

Vraiment, cela
vous intéresse ?

Achille toussote et il commence :

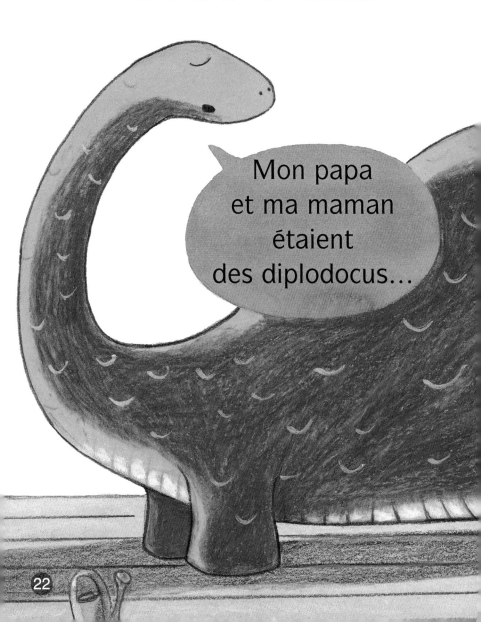

Au fur et à mesure qu'il raconte
son histoire, un étrange phénomène
se produit. Mona s'écrie :

Ça alors,
Achille,
tu grandis !

Sous le poids du dinosaure,
le plancher de la maison
fait plaintivement :

Criiiiic! Craaaac!
Criiiiic! Craaaac!

Et le toit fait:

BOUM!

25

Mona répond :

Ce n'est pas grave,
Achille, on en bâtira
une autre. Continue !

Jusqu'au soir, Achille raconte son histoire. À la fin, tout le monde applaudit, heureux d'avoir appris tant de choses.

C'est alors qu'un étrange phénomène se produit à nouveau.

Achille sourit et dit :

Pardon, les amis,
c'est l'émotion.

Rencontrer un dinosaure vert,
ce n'est déjà pas très courant,
mais rouge, là,
c'est vraiment le pompon !

Bravo ! Tu as lu un livre en entier !
Tu as aimé cette histoire ?
Découvre d'autres histoires dans la même collection !

N° éditeur : 10253152– Dépôt légal : août 2009
Achevé d'imprimer en février 2019 par Pollina
(85400 Luçon, Vendée, France) - 88529

Nathan présente les applications Iphone et Ipad tirées de la collection *premières* **lectures**.

L'utilisation de l'Iphone ou de la tablette permettra au jeune lecteur de s'approprier différemment les histoires, de manière ludique.

Grâce à l'interactivité et au son, il peut s'entraîner à lire, soit en écoutant l'histoire, soit en la lisant à son tour et à son rythme.

Avec les applications *premières* **lectures**, votre enfant aura encore plus envie de lire... des livres!

Toutes les applications *premières* **lectures** sont disponibles sur l'App Store :